Les ave
de

Un voyage dans l'espace-temps

3e cycle de l'école Notre-Dame
à Ste-Christine

Collection :

Thomas Hardi

Les Éditions « Messagers des Étoiles » inc.

ISBN : 2-923419-14-6
Dépôt légal : deuxième trimestre 2006
Bibliothèque nationale du Québec
Bibliothèque nationale du Canada

Dessin de la page couverture :
Pierre-Hugues Dumais

Collection : Thomas Hardi
Roman jeunesse

Préface

L'an passé, les élèves de 2e et 3e cycle ont écrit deux aventures de Thomas, soit *L'adoption d'un animal* et *Voyage autour du monde*. Étant donné que ce fantastique projet a permis aux enfants de vivre une expérience extraordinaire, nous nous devons de répéter l'expérience cette année. Dès l'automne, nous nous sommes mis à la tâche pour réaliser deux nouveaux romans. *Les aventures de Thomas Hardi* reviennent cette année avec : *Périple dans les fonds marins* et *Un voyage dans l'espace-temps*. Ce dernier vous permettra de découvrir notre système solaire d'une façon un peu spéciale en compagnie de Thomas et ses amis.

Nous espérons que cette histoire vous plaira autant que nous avons eu de plaisir à l'écrire. De la part de tous les auteurs en herbe, nous vous remercions de votre encouragement. Bonne lecture!

Lorraine Tétreault et Geneviève St-Amant, enseignantes à l'école Notre-Dame de Ste-Christine.

Chapitre 1
Le vaisseau de grand-père

Aujourd'hui, l'école est terminée. C'est enfin les vacances d'été! Je décide d'aller voir mon grand-père dans le garage. Il est en train de construire un vaisseau. Je désire alors l'aider. Je lui demande : «C'est pourquoi, ce vaisseau?» «C'est pour voyager dans le temps», me répond-il. Après plusieurs heures de travail, l'œuvre est terminée. Nous convenons donc de partir à l'aventure. Mon grand-père Gaston est très énervé, car il réalise enfin son rêve : voyager dans le temps. Il programme le vaisseau, mais le tableau de bord indique qu'il manque d'huile. Mon grand-père décide d'aller voir un mécanicien. Sauf que, nous sommes déjà rendus en 2035! Ça marche! Lorsqu'il entre dans le garage, il remarque plein de nouvelles choses qu'il pourrait installer sur son vaisseau. Il se remet alors au travail. Plusieurs longues semaines s'écoulent.

Enfin, mon grand-père a terminé. Il vient me chercher et m'invite à monter à bord. Alors que je m'apprête à embarquer, une grosse porte électrique s'ouvre et je découvre à l'intérieur au moins 355 boutons. Il y a aussi un pilote automatique, un lit double pour grand-père et moi, et une table. Le vaisseau peut voler, aller dans l'eau et sur la neige.   Il est magnifique.

Alors que nous nous préparons à partir, nous remarquons une énorme tempête de neige qui s'abat sur la ville. Grand-père et moi avons un très grand cœur. On décide de sauver tout le monde. On les amène en haut d'une colline, à l'abri dans une grotte. «Maintenant, je suis fatigué!, s'exclame grand-père. J'en ai eu assez, pas toi?» «Oui, oui», que je lui réponds.

Je me réveille alors et m'étire en me disant que c'était vraiment un super rêve. J'entends grand-père Gaston et je regarde par la fenêtre. Vous ne devinerez jamais ce que j'aperçois : un magnifique vaisseau lumineux... Moi, Thomas Hardi, je n'en crois pas mes yeux!

Chapitre 2
Les perséides

Ce soir, c'est la période des perséides. Je suis assis à côté du téléphone, car je veux inviter Sarah. Sarah, ce n'est pas ma blonde, mais je l'aime bien. C'est une bonne amie qui me fait bien rire. «Salut Sarah, ça va?» Sarah me répond que tout va bien et je lui demande si elle a hâte à ce soir. Sarah m'interroge à savoir pourquoi. Je lui explique que c'est la période des perséides et que, ce soir, nous pourrons observer des dizaines d'étoiles filantes. Je l'invite, en me croisant les doigts, car je ne veux pas qu'elle pense que c'est un rendez-vous roman-tique… «Veux-tu venir chez moi observer les étoiles ce soir? Nous nous installerons dans le jardin avec un matelas de camping et du chocolat chaud.» Sarah ne prend pas une fraction de seconde et me répond d'un ton emballé : «Avec joie, Thomas, c'est une super bonne idée. Je vais souper et j'arrive tout de suite!» Nous raccrochons et je ne peux m'empêcher de cacher ma joie en levant les bras dans les airs et en affichant un énorme sourire. Microbe me regarde en fronçant les sourcils et en se faisant aller la queue.

Microbe, c'est mon chien électronique qui possède une intelligence évolutive. Oui, oui, c'est un chien qui fonctionne avec une pile et qui peut apprendre plein de choses. Il a même des sentiments : il peut être fâché, triste, content et apeuré. Lorsque mon grand-père me l'avait offert, Microbe ne savait à peine marcher. Depuis, je lui ai montré plein de choses. Lorsqu'il dort, il enregistre ce qu'il a appris dans la journée. C'est un bon chien, avec qui j'ai beaucoup de plaisir.

«Ding, dong.» Déjà! Je vais ouvrir à Sarah. Elle a apporté une couverture, celle avec une voiture rouge dessus que nous utilisons en camping, et sa lampe de poche. Nous allons nous installer dehors. Ce serait vraiment «cool» de voir des étoiles filantes...

Chapitre 3
Retour à l'époque du Moyen-Âge

Les étoiles filantes étaient vraiment magnifiques. Sarah et moi avons eu beaucoup de plaisir. Il est tard maintenant et je veux m'endormir au plus vite.

Très tôt ce matin, Kassandra, ma sœur, m'a raconté que durant la nuit, j'étais somnambule. J'étais parti chez mon grand-père, sans mettre mon manteau et mes bottes. Kassandra m'a alors suivi. Puis je me suis retrouvé dans le vaisseau de mon grand-père Gaston. J'ai alors pesé sur le bouton pour partir dans le futur, ça devenait tout embrouillé, puis je me suis réveillé en sursaut et tout est devenu très clair.

J'ai alors aperçu un très vieux château blanc et une jeune fille assez bien habillée qui courait dans ma direction. «Ça ne ressemble pas du tout au futur ici! Ça ressemble au passé!», a dit ma sœur. Je désirais savoir pourquoi cette jeune fille courait, mais elle m'a alors demandé si je connaissais Clovis. Je lui ai répondu que non, alors elle m'a raconté une histoire.

«C'était l'histoire d'un homme méchant. Cet homme était le roi de notre petit village. L'homme était en guerre contre les Anglais, alors il envoya tous nos hommes se battre à partir de l'âge de 15 ans. Si tu avais 15 ans, tu partirais en guerre. Pas beaucoup d'hommes ne revenaient hélas. Jusqu'au jour où un enfant est né, cet enfant était le fils de l'homme méchant. Quelques années plus tard, à ses 15 ans, son père avait préparé une fête surprise. Tous les gens lui avaient remis des présents, sauf son père. «Maintenant que tout le monde t'a donné tes cadeaux, je vais te remettre le mien», dit le père. «Qu'est-ce que c'est», lui demanda son fils. «Eh bien, mon garçon, c'est le trône.» Tout le monde était très heureux. Mais le père devint très jaloux de son fils parce que ce dernier était très populaire. Alors, il décida de le tuer à sa fête de 16 ans. Depuis cet événement, tous ceux qui sourient sont mis dans les cachots et c'est la fin.»

«Cette histoire est trop triste. Tuer son propre fils!» s'est exclamé ma sœur. «Je vais aller lui parler, moi, tu vas voir, ça va changer dans ce village», ai-je dit nerveux. «Je viens avec toi», a ajouté ma sœur Kassandra. «Moi aussi je viens!» a assuré la jeune fille.

Rendu au château, j'étais très nerveux. «J'aimerais parler à Clovis.» C'était la pire gaffe de ma vie parce que tous les habitants nous ont entourés aussitôt. J'étais gêné parce que tout le monde portait des guenilles, et moi, je portais des vêtements un peu étranges pour ces gens. Tout le monde voulait toucher notre linge quand tout à coup, j'ai entendu : «Qui êtes-vous? Que faites-vous ici étrangers?» C'était Clovis. Je n'étais pas capable de parler, alors ma sœur a répondu pour moi. «Je suis Kassandra Hardi et voici mon frère Thomas.» - «Que puis-je pour vous mademoiselle?» «J'aimerais vous parler en privé», a ajouté ma sœur courageusement. «D'accord, suivez-moi.» Mon cœur battait 100 km à l'heure. J'ai tout de suite commencé à parler : «Les habitants de votre royaume aimeraient avoir le droit de rire», ai-je dit avec insistance. «Non, je ne veux pas et c'est moi qui décide ici, quand les gens rient, ça me dérange!>> a répondu le roi. Comme il avait l'air entêté, nous avons quitté le château. Puis, j'ai eu une super bonne idée : «On va demander à tout le monde de rire à cœur joie, comme ça il n'y aura pas assez de cachots pour tout le monde.» Alors tout le monde s'est mis à rire. C'était tellement drôle que le roi a ri, lui aussi. Le roi s'est alors souvenu à quel point ça faisait du bien de rire. Il s'est adressé au peuple en expliquant que, depuis son enfance, il avait tellement vu de tristesse et d'horreur, que désormais, ce temps était terminé. Maintenant, tout le monde peut rire. C'est alors que nous avons décidé de rentrer à la maison.

À notre arrivé, je suis encore un peu secoué par cette aventure plutôt spéciale. Je sors du vaisseau et je me dépêche à me remettre au lit, avant que quelqu'un s'aperçoive de notre petite aventure avec le vaisseau. Grand-père ne serait pas très content. En plus, demain, je vais en vacances chez mon oncle, en Floride, avec Microbe et peut-être Xavier, mon meilleur ami. Mon oncle nous a invités pour ma fête avant la fin de nos vacances d'été.

Chapitre 4 : Voyage en Floride

Aujourd'hui, je vais au chalet de mon oncle en Floride, avec mon ami Xavier et mon chien Microbe. Je suis tellement énervé parce que, l'année passée, je n'y suis pas allé durant mon voyage autour du monde.

Je suis à l'aéroport en Floride avec Microbe et Xavier. Nous sortons de l'avion et nous appelons le taxi pour qu'il vienne nous chercher. En route vers le chalet, nous regardons les palmiers et la plage. Nous sommes très chanceux, parce qu'il fait très beau aujourd'hui.

Arrivé chez mon oncle, nous rencontrons grand-père qui est venu nous rejoindre avec son vaisseau. Je ne sais pas s'il se doute de quelque chose au sujet de notre petite aventure au Moyen-âge...

Le lendemain, Xavier et moi ne tenons plus en place, parce que grand-père décide de nous amener à Disney Land! C'est vraiment incroyable! Nous prenons à nouveau le taxi, car ce serait un peu curieux d'arriver au parc d'attraction en vaisseau! Nous arrivons enfin et nous sommes encore plus excités quand nous voyons tous les manèges et les attractions que nous allons faire.

Nous embarquons dans la plus grande montagne russe. C'est vraiment excitant. On s'aperçoit alors que le ciel est devenu très gris. Nous remarquons qu'une tornade approche à grands pas, et le manège vient de commencer! Bang! Je suis un peu secoué, mais sain et sauf. Je regarde autour de moi et je ne vois plus Xavier ni Microbe. Tout est démoli et les gens courent dans tous les sens. Je cherche partout, j'aperçois Xavier et Microbe couchés par terre. Je décide alors de retourner chez mon oncle pour prendre le vaisseau. Je programme quelques minutes avant la catastrophe afin de sauver mes amis.

Arrivé au parc, j'aperçois Xavier et Microbe. Je les embarque dans le vaisseau. Xavier ne comprend rien. Je lui explique la situation. Il est très content et me remercie. Nous retournons au présent et arrivons chez mon oncle. Ouf! J'ai eu chaud. Grand-père est fier de moi.

Chapitre 5
Mercure

Une semaine est passée depuis notre aventure en Floride, et nous sommes revenus à la maison. C'est le soir. Il est maintenant 22 h 14 et je suis assis dehors. Microbe, Sarah et Xavier sont avec moi. On regarde dans le ciel, car, aujourd'hui, ils ont dit à la radio que nous pourrions voir Mercure. Les minutes passent, mais on ne voit rien, car le ciel est un peu nuageux. On commence à s'ennuyer, alors on descend au sous-sol et on trouve le vaisseau de mon grand-père. Microbe saute dedans. Xavier, Sarah et moi le suivons à l'intérieur. On s'assoit pour faire comme si on pilotait le vaisseau.

Xavier et moi sommes deux grands pilotes qui traversons les nuages et qui évitons les météorites, et Sarah est notre capitaine. Microbe est tout excité. Il jappe et branle la queue. Dans tout cet engouement, j'accroche un bouton. Oups! Un bruit de moteur commence et la porte se ferme. Tout d'un coup, on se retrouve dans un endroit étrange. Je regarde sur le cadran. Nous sommes rendus en -10 528!

Xavier pointe le ciel avec un air étonné. Je regarde le ciel et je vois toutes les planètes et elles ont toutes de la vie, sauf une, la Terre. C'est curieux, elles sont visibles le jour. Elles ont l'air suffisamment rapprochées les unes des autres pour bien les distinguer en plein jour. Sarah est effrayée. Nous nous demandons ce qui se passe et je me dis que, si grand-père apprend cela, nous sommes foutus! On essaie de repartir, mais il manque des pièces. C'est sûrement lorsque j'ai accroché la manette. Microbe aperçoit une pièce. Il va la chercher, mais il en manque encore. Xavier trouve une autre pièce, sous le panneau de contrôle. Nous plaçons les pièces, mais il en manque toujours une.

Tout à coup, un cri perçant nous fait sursauter. Microbe part à courir. Xavier le suit. Il court jusqu'à la fenêtre de derrière. Je cours les rejoindre. Mais des

énormes créatures nous entou-
rent. À la place des mains, ils ont
des lames. Je me cache juste à
temps sous la fenêtre. Un énorme
monstre arrive. Microbe jappe
après le monstre et réussit à
prendre la pièce dans sa bouche.
Nous courons vers la cabine de
pilotage. Mais les monstres sont
toujours près de nous.

C'est alors qu'un météore leur
tombe dessus. Je rassemble les
pièces avant que les monstres
reviennent. Le vaisseau peut
maintenant fonctionner. Mais les
monstres sont déjà là. Nous
attachons nos ceintures. C'est à ce
moment qu'un monstre lève sa
lame. Un autre météore tombe
dessus et des milliers d'autres

tombent encore. Les monstres s'en vont et le vaisseau s'envole loin dans le ciel. Mais des météores ont tout détruit et les planètes se sont séparées. C'est ainsi que la planète Mercure est devenue toute petite. Un gros morceau de métal est devenu la lune. Des morceaux de planètes sont tombés sur la Terre. Nous pouvons donc dire qu'il y a déjà eu de la vie sur les planètes. J'appuie alors sur le cadran. Xavier, Microbe, Sarah et moi revenons en 2006. Quelle aventure!

Chapitre 6
Vénus

Sarah, Xavier, mon chien Microbe et moi sommes toujours dans le vaisseau. On se dirige vers la planète Vénus. On avance tranquillement et les minutes passent. J'ai alors une idée : nous allons jouer aux cartes! On commence à s'installer, quand on aperçoit enfin la planète Vénus, elle est magnifique! Quelques minutes plus tard, Microbe accroche un bouton lorsqu'il se gratte sur la chaise. En touchant ce bouton, il dérègle le tableau au complet. Xavier, Sarah et moi paniquons. Le vaisseau est hors de contrôle, je m'accroche à la porte. Microbe s'agrippe très fort à mon pantalon. Sarah et

Xavier se cramponnent aux commandes. Le vaisseau commence à tourner. Puis, il s'écrase sur Vénus en tournant très vite. On tombe vite sur le coussin gonflable et on rebondit très haut. On a eu très peur de se faire mal, mais nous sommes tous sains et saufs. Sarah, Xavier et moi rions très fort. J'essaie de voir si notre vaisseau spatial fonctionne toujours. Je touche au démarreur et le vaisseau se remet en marche. Il fait très chaud ici, je suis très heureux que ça fonctionne. Je programme les vitesses, le vaisseau accélère, il commence à voler et nous nous dirigeons maintenant vers la Lune.

Chapitre 7
Lune

C'est parti pour une nouvelle aventure sur la Lune. En route, nous voyons la Lune de plus en plus proche. Alors, nous décidons d'arrêter le vaisseau sur un cratère et nous partons pour notre découverte. Mais, en route, nous apercevons des espèces de créatures pas très jolies, puis, plus près d'elles, nous découvrons que ce sont des bonshommes très laids avec trois yeux, deux nez, une bouche, six bras et huit jambes. Ils étaient vraiment affreux ces extraterrestres, par contre ils semblaient très gentils. «Ouf! On est en sécurité!» Nous sommes rendus sur la Lune au milieu d'affreux extraterrestres. Ils nous expliquent plein de choses bizarres, mais agréables à comprendre. Tout à coup, sans faire attention, l'une de ces créatures nous pousse en bas, Microbe, Sarah, Xavier et moi. Nous tombons et nous nous dirigeons vers un grand trou noir...

Chapitre 8
Le trou noir et grand-père

Nous approchons du trou noir. Une ouverture se forme et nous permet d'entrer à l'intérieur. J'aperçois des magasins avec des hommes de toutes les couleurs. Je veux aller au restaurant. Je commande pour tout le monde, mais lorsque le repas arrive, il disparaît aussitôt lorsqu'on le prend. Je me rends compte que nous descendons encore. Tout à coup, je me fais aspirer par un aspirateur géant et je me retrouve dans un vaisseau pirate. Les pirates sont laids, pires que des grenouilles, avec quatre pattes graisseuses. Ils ont du bleu sur les oreilles et un grand nez noir. Le chef des pirates me saisit par la jambe. Il me secoue et deux dollars tombent de mes poches. Microbe est avec moi. Le capitaine porte des culottes roses. Je me rappelle alors que grand-père m'avait expliqué que mon chien robot ne distinguait pas les couleurs, sauf le rose. Je dis à Microbe : «Attaque!»

Microbe court après le capitaine et le mord aux fesses. Le capitaine semble avoir très mal et il saute partout. Les pirates veulent détruire Microbe. Moi, je dis : «Position karaté» et Microbe les attaque tous. Mais l'un d'eux réussit à attraper Microbe, les autres pirates se lèvent et nous attrapent au lasso. Ils nous attachent solidement avec trois cordes. On est coincés. Les pirates sont tous excités. Ils boivent des tasses de café, des bières et des liqueurs. Ils font la fête. Pendant ce temps, Microbe, qui possède des dents très coupantes, coupe les trois cordes comme avec un couteau, mais le chef ordonne aux siens de nous apporter à l'ogre bleu et sanguinaire. Microbe essaie de nous défendre. Il saute sur un pirate. Oups! Il coupe la ceinture du pirate et on voit ses culottes à petits pois. Ce n'est pas très beau... Hi! Hi! Hi! Le pirate gaffeur rougit. Il remonte rapidement son pantalon et nous apporte au camping des pirates.

Arrivés là-bas, nous avons l'impression qu'un éclair immense illumine tout le ciel. C'est grand-père! Il est venu nous chercher avec son autre vaisseau, encore plus grand et plus performant! Il nous embarque et nous sortons du trou noir à 4 h 58 exactement, puis, à 5 h pile, nous atterrissons sur Mars.

Chapitre 9
Mars

Arrivés sur cette planète, nous sommes bien contents de retrouver grand-père. Celui-ci, par contre, est très fâché de notre imprudence. Il nous gronde très fort. Je n'ai jamais vu grand-père dans cet état. Au même moment, nous voyons les pirates qui arrivent dans l'espace. Nous entrons dans le vaisseau et nous allons nous cacher derrière une grande montagne, dans une caverne.

Nous retenons notre souffle et je tiens Microbe dans mes bras pour l'empêcher d'attaquer les pirates aux culottes roses.

Ils finissent par partir. Nous sommes sains et saufs! J'explique alors à grand-père ce qui nous est arrivé depuis le tout début. Puis, je lui demande comment il a fait pour nous retrouver. Il nous explique qu'il avait intégré un GPS dans le panneau de contrôle du vaisseau. Il nous a alors retracés et il s'est servi de la force du trou noir pour se propulser dans l'espace. Comme son vaisseau est plus puissant, il savait qu'il pourrait y ressortir et pas nous. Une chance qu'il était là. On s'excuse tous auprès de lui. Et comme mon grand-père Gaston a un grand cœur, il nous pardonne et en plus, il nous propose de poursuivre le voyage. «Tant qu'à être ici, nous allons explorer!»

Chapitre 10
Jupiter

«Sarah, laisse-moi conduire le vaisseau», dit Xavier. «Ok, prends les commandes, mais fais bien attention!» Nous atterrissons sur Jupiter : la plus grosse planète de notre système solaire. Sur le cadran, nous sommes en 6 535. La planète semble habitée, car nous apercevons quelques constructions. Il s'agit de petites huttes, un peu comme des tipis amérindiens. Lorsque nous déposons notre vaisseau sur la terre, des gens, très semblables à nous, nous accueillent. Nous sommes très surpris d'arriver enfin à quelque part où les gens nous semblent plus gentils.

Grand-père fait les présentations en utilisant le langage des signes. Les gens nous invitent à manger avec eux. Hummmm! J'espère que ce sera bon, car je meurs de faim! Nous sommes assis autour d'un feu et nous partageons ce qui me semble un bouilli de légumes. Ce n'est pas tellement bon, mais j'ai vraiment faim, alors j'en profite pour prendre une deuxième assiette.

Après le repas, Sarah, Xavier et moi allons jouer avec les autres enfants de notre âge, laissant grand-père avec les plus vieux. Je fais la rencontre de Sacha, une petite fille avec de grands yeux noirs et de longs cheveux bruns. Elle est très gentille. Je remarque cependant que Sarah me regarde jouer avec Sacha et semble un peu triste... Est-ce qu'elle serait jalouse? Je l'invite donc à se joindre à nous et son sourire lui revient.

Sacha nous montre une grotte un peu plus loin. Nous décidons d'y aller. Nous retrouvons un petit garçon à l'intérieur avec une jambe blessée. Sacha crie et se met à pleurer. Nous allons chercher grand-père en vitesse avec la trousse de secours. Nous le soignons et il fait des signes pour nous montrer qu'il était tombé après avoir sauté du haut de la grotte. Sacha le serre dans ses bras et je comprends alors qu'il s'agit de son amoureux.

C'est l'heure de partir. Nous faisons nos adieux et nous embarquons dans le vaisseau. Je me sens très fatigué. Nous décidons de laisser grand-père conduire et nous allons nous étendre. En route pour Saturne!

Chapitre 11
Saturne

D'après ses recherches, grand-père programme l'année 17 040. Selon lui, il y aura de la vie à cette époque sur cette planète. Par une belle nuit étoilée, j'avais observé attentivement le ciel. J'y ai vu la planète Saturne et ses 18 satellites. Cette planète est située entre Jupiter et Uranus.

Tout le monde est réveillé, mais nous ne sommes pas encore arrivés sur la planète Saturne. Tous les cinq, nous sommes fatigués et un peu endormis. Nous voulons arriver rapidement sur Saturne parce que grand-père ne se sent pas très bien. Après trois jours, nous sommes enfin arrivés sur la planète. Nous sommes très fatigués. Tout le monde a soif. On pourrait mourir si on n'a plus d'eau. «J'ai trouvé de l'eau, grand-papa, tu vas pouvoir boire! C'est génial!» Grand-papa saute dans le trou d'eau et l'eau éclabousse nos yeux. «Grand-papa, ne bois pas toute l'eau!» Trop tard, il l'a bue en entier. Je suis désespéré, je suis découragé, on va continuer notre chemin. On aura peut-être plus de chance plus loin. Tiens, là-bas, une flaque d'eau. Je suis vraiment content, mais vous voyez là-bas? Au loin, nous apercevons cinq extraterrestres. «Sarah, viens-t'en, il ne faut pas qu'ils te voient.» - «Oh non! Ils s'approchent de plus en plus.» Ils ont l'air vraiment méchants, ils sont bleus et verts. « Grand-papa Gaston! J'ai peur, dit Sarah, il faut faire quelque chose tout de suite.» Fiou! Les extraterrestres sont cependant très gentils. Après avoir discuté un peu, on a continué notre chemin avec eux. Ils nous ont amenés jusqu'à un puits où nous avons pu faire des réserves d'eau potable. Puis, nous avons admiré la nuit avec 18 lunes dans le ciel et les gros anneaux qui brillent. C'était fantastique. Sarah en a profité pour prendre des photos. Nous sommes ensuite repartis au vaisseau. C'est comme ça que notre aventure s'est terminée sur la planète Saturne.

Chapitre 12
Uranus

Grand-père enregistre l'année 9021. On se dirige vers une planète dangereuse : Uranus. Tout à coup, je perds les commandes. Oh! Non! Nous allons nous écraser sur la planète Uranus! Nous tombons en flèche sur la planète, mais nous réussissons à atterrir sans faire trop de dégâts au vaisseau.

Nous sortons du vaisseau. Après quelques minutes de marche, nous voyons une race spéciale. Ces gens ont une crinière de lion et un corps d'humain. Très bizarre! Alors, je décide de les appeler les Lionens. Ils me saluent et ils

m'expliquent qu'il y a des pirates
de l'espace qui les attaquent pour
prendre possession d'Uranus, leur
planète. Après que les Lionens
nous aient parlé des pirates de
l'espace, nous décidons de partir,
car c'est trop dangereux pour
nous.

Tout à coup, des vaisseaux arrivent. Les Lionens disent : «Ils vont
nous tuer. Ils vont prendre
possession de notre planète.» Les
Lionens essaient de s'enfuir.
J'essaie de trouver une idée. Mais
j'ai trop peur. Alors, je m'enfuis
avec les autres. On court de
toutes nos forces. Je gaspille de
l'air pour rien. Et je suis à bout de
souffle. Je manque d'air. Les
Lionens relient tout leur air pour

m'aider. Une chance qu'ils étaient là! Ils font la même chose pour Sarah, Xavier et grand-père.

Là, j'ai une idée : on va se laisser capturer. Ils nous amènent sur leur station spatiale. Ils nous jettent en prison. Tout va comme sur des roulettes. J'explique mon plan aux Lionens. Je leur demande de défoncer le mur de la prison. Ensuite, tous se rendent dans la salle informatique. Il y a un bouton où il est écrit : Extinction. J'appuie sur le bouton et tous les pirates de l'espace se désintègrent et même le chef est détruit.

Ensuite, les Lionens prennent des vaisseaux pour retourner sur

Uranus. Rendus là-bas, les Lionens rencontrent leur chef. Ils lui expliquent mon plan et toute notre aventure. Les Lionens me disent : «Nous te nommons le grand et unique héros d'Uranus. Je te confie l'épée du héros. Veux-tu qu'on répare ton vaisseau?» Je réponds : «Oui!» très fièrement. Les Lionens réparent aussitôt notre vaisseau et nous donnent plein de provisions. En échange, grand-père leur remet un satellite qu'il avait récupéré. Avec ce satellite, les Lionens pourront se préparer à l'avance au cas où il y aurait une autre attaque. Nous les saluons et nous nous dirigeons vers la prochaine destination : soit la planète Neptune.

Chapitre 13
Neptune

Comme nous repartons d'Uranus, nous apercevons immédiatement Neptune. Xavier et moi conduisons toujours et nous approchons rapidement le vaisseau de Neptune. Je suis tout heureux alors je dis : «Grand-père, on débarque!» Grand-père est content d'avoir pu profiter enfin d'une petite sieste tranquille. Il nous dit:«Ne revenez pas trop tard.» Microbe en profite aussi pour recharger ses piles.

Arrivés au bout de l'allée, je remarque que cette planète n'était qu'une petite boule d'eau. Puis, j'aperçois une petite île. Sarah,

Xavier et moi nageons tout de suite jusqu'à elle. Dans le fond de l'océan, nous rencontrons le roi Neptune et ses cinq chevaliers. J'espère que les cinq chevaliers ne voudront pas nous exécuter. Neptune sort la tête de l'eau et il dit : «Oh! Toi! Petit garçon! Comment te nommes-tu?» Je lui réponds que je m'appelle Thomas, et je lui présente Sarah et Xavier. Ensuite, il nous invite à visiter le terrain royal.

Je lui dis : «Oui mais, on ne peut pas respirer sous l'eau.» Le roi Neptune me demande alors : «Eh bien! De quelle planète viens-tu?» «Cela n'a pas d'importance pour le moment.» Xavier a une idée géniale. Il dit : «Je vais aller dans la machine pour voir si nous avons un masque d'oxygène.» En revenant, il s'exclame : «Désolé, roi Neptune, nous avons un masque, mais il est vide!» Une idée me vient au même moment : «Un instant, je crois qu'il nous reste un flocon de bulles spécialement conçu pour les urgences, c'est mon grand-père et moi qui l'avons fabriqué.» Je fouille dans mes poches et je me rappelle que je ne l'avais pas apporté. «Oh non! C'est vrai! Que je suis bête! Je l'ai oublié sur ma planète!» Le roi Neptune me répond : «J'ai peut-être une solution pour vous. J'ai des sirènes magiques qui vous permettront de respirer sous l'eau. Cela m'avait complètement sorti de la tête un instant.»

Le roi Neptune a crié : «Émily, viens vite ici!» Émily arrive aussitôt. Il s'agit d'une très grande sirène avec un petit sac doré. «Pourrais-tu donner une barre de chocolat express à friction à nos amis, Thomas, Sarah et Xavier, pour qu'ils puissent aller visiter notre si joli château?» Émilie répond le plus vite possible : «Oui père!» Elle nous tend alors une barre à chacun, que nous nous empressons de dévorer. «Alors vous n'avez seulement qu'à sauter et vous pourrez respirer sous l'eau pour quelques heures.» Nous nous exécutons.

Arrivés sur place, le roi Neptune nous fait visiter. Il nous dit : «Voici le spa, le sauna, le jardin

Neptune et la piscine avec eau chauffée, car il ne faut pas oublier que la température est de –750 degrés.» Je ne peux m'empêcher de m'écrier : «Génial, la vie d'un roi!»

Je demande ensuite à Neptune : «Alors, roi Neptune, qu'est-ce qu'il y a au menu?» Il me répond : «Rôti de plancton et Panaché de vermines des sables.» Même si le nom semblait un peu bizarre, nous sommes contents de constater qu'il s'agit d'un repas délicieux. Nous mangeons avec appétit. Puis, je lui dis: «Il faut qu'on parte, mon grand-père nous attend. Au revoir! Ô grand Neptune! J'espère vous revoir un jour!» Arrivés dans le vaisseau, je fais une petite sieste, pendant que Sarah placote avec grand-père. Xavier, lui, préfère jouer au X-Box 360. Après quelques heures, nous repartons pour la dernière planète de notre système solaire!

Chapitre 14
Pluton

«Nom d'un spaghetti gratiné! Nous allons manquer de carburant. Une chance que les Lionens nous en ont donné avant de partir de leur planète.» Mon grand-père va remplir le réservoir. Bizarre... cette planète-là ressemble à un petit pois. C'est peut-être parce que nous sommes très loin d'elle encore.

Tiens en attendant, je vais me faire un macaroni gratiné épicé. Miam! Délicieux ce macaroni gratiné, mais je devrais rajouter un peu d'épices. Sarah et Xavier sont très contents aussi de pouvoir se régaler. Ils décident tous d'aller faire une sieste avant de découvrir la dernière planète de notre système.

Ah! Nous voilà arrivés. J'ai bien hâte de découvrir les alentours, mais, si je pars seul, grand-père, Xavier, Sarah et Microbe seront inquiets. Je vais leur laisser un mémo, après tout, je suis capable d'être prudent.

Chers amis et grand-père, nous sommes atterris sur Pluton. Je n'ai pas osé vous réveiller, alors je suis parti explorer cette planète seul. Mais, je vais revenir à 4 h, signé Thomas.

Super, cette planète! Mais qu'est-ce que c'est? J'aperçois une créature. Je la suis, elle se dirige vers un village inconnu, peuplé d'êtres semblables. Cette créature me regarde d'un air désespéré. Je lui demande pourquoi semble-t-elle si triste. Elle me répond qu'un homme méchant du nom d'Hadès contrôle Pluton. Cet homme doit envoyer ses soldats pour les arrêter et en faire ses esclaves à 4 h précises. Je dois faire un choix. Soit que je ne les aide pas et que je retourne à mon vaisseau, soit que je les aide à s'échapper. Donc, je décide de les sauver. Après tout, grand-père va comprendre. Les petites créatures se nomment «Plutoniens». L'un des Plutoniens me conseille de rencontrer un gars un peu plus loin. Je m'y rends donc. J'entre dans la maison et je découvre une espèce de loutre géante. Les Plutoniens m'avaient prévenu que cet être est très bavard. Il s'appelle Ajax. Il me confie que le château que je vois au loin est rempli de pièges. Et voilà qu'on doit s'y rendre.

1 h 45 à l'extérieur du château

Ce château est gigantesque! Une grille immense bloque la route; mais comment traverser? Je vois Ajax qui peut flotter, alors j'ai une idée. Je vais sauter le plus haut que je peux. C'est grandiose! Je réussis à sauter vraiment très haut. L'apesanteur, c'est génial! J'ai vraiment beaucoup de plaisir, mais pas de temps à perdre. Je fonce dans le château.

2 h 01 à l'intérieur du château

L'intérieur du château est immense! Ajax n'arrête pas de raconter des rumeurs sur ce château. Quel bavard, cet animal. Sans faire exprès, j'éternue au mauvais endroit et j'active l'alarme! On court vite, on fonce dans la porte et devinez quoi? On découvre du magma partout! Mais comment passer? Je me souviens tout à coup que pour passer la grille, il fallait sauter le plus loin possible. On saute alors vraiment très loin, mais lorsqu'on arrive sur la terre ferme, des gardes nous surprennent. Au même moment, un espèce de truc qui nous descend sur la tête et on tombe dans un état comateux.

3 h 10 au cachot

À notre réveil, nous nous retrouvons dans un cachot avec d'autres Plutoniens. Après quelques minutes, Ajax se souvient tout à coup qu'il possède des clés. Il les essaie et réussit à ouvrir la porte du cachot. Tout le monde est soulagé, y compris moi!

3 h 30 à l'intérieur du château

On court très fort pour arriver à la salle du trône. Un garde nous bloque la route. Il faut réussir une épreuve : un quiz sur les pâtes.

C'est ma journée de chance. Je connais tout sur les pâtes. Je réussis donc très facilement et tout le monde est content.

3 h 50 à l'intérieur de la salle du trône

Comme nous entrons dans la salle du trône, nous voyons du feu partout. Nous entendons la voix d'Hadès au milieu des flammes. Il n'arrête pas de nous dire : «Sortez d'ici!» J'ai la frousse, mais j'aperçois une espèce de caméra qui fait un hologramme. Je demande à Ajax de la détruire. Une fois la caméra détruite, tout redevient calme. Une grosse pierre bloque une porte. Nous réussissons à la rouler, on entre dans une autre pièce et… on y trouve un jeune Plutonien! Sans les flammes, Hadès est devenu inoffensif. Il nous dit qu'il veut devenir roi parce que c'était un héritage de son père. Je discute avec les autres citoyens et ils acceptent que le jeune Plutonien devienne le roi. Ils acceptent à la seule condition qu'il ne fasse plus de mauvais coups. Maintenant, tout le monde est content. Comme d'habitude, Ajax se pose plein de questions. Les Plutoniens nous fêtent comme de véritables héros, Ajax et moi. J'avise les Plutoniens que je dois les quitter, j'ai déjà un peu de retard.

4 h 11 dans le vaisseau

En entrant dans le vaisseau, je trouve grand-père et mes amis très inquiets. Je leur raconte mon aventure sur Pluton et ils sont très surpris. Et nous revoilà au centre de nouveaux mystères, mais qu'est-ce que ce point qui brille au loin?

Chapitre 15
Nouvelle planète

Au loin, on voit une autre planète. Grand-père est très embêté, car sur sa carte de l'espace, cette planète n'apparaît pas. On atterrit sur cette planète. Il y a deux montagnes : une qui brille et l'autre est grise. Nous allons sur la montagne brillante. Il y a un chien, une sorte de chat multicolore et un extraterrestre vert fluo. Celui-ci possède 49 doigts rouges.

Il me dit : «Attention au Trigor.» Je lui réponds : «C'est quoi, un Trigor?» Alors, il m'explique qu'un Trigor, c'est un monstre. Un très, très grand monstre bleu et mauve.

Il a une grande bouche avec deux dents.

L'extraterrestre vit dans un village construit en roches lumineuses. Sarah lui demande: «On est sur quelle planète?» «Vous êtes sur Triofite.» Au loin, je vois de la poussière. Une armée d'extraterrestres approche. Le chef nous dit : «Attention au Trigor!» J'aperçois tout à coup un très, très grand monstre bleu... c'est un Trigor! On décide alors de partir et quitter cette planète dangereuse. On monte dans le vaisseau et on décolle le plus vite possible. Mais, un Trigor mord le derrière du vaisseau. On ne peut plus décoller! Alors, nous restons cachés dans le vaisseau exactement 30 minutes. Puis, on n'entend plus rien. On sort. Il ne reste que des cailloux et le petit chien. Je vais le voir et il me donne la patte. Il a une chose bizarre sur lui. C'est un bouton. Je pèse sur le bouton : Pif! Paf! Comme par magie, notre vaisseau est réparé et le petit chien est disparu. On décolle et on se dirige vers la planète la plus proche. Je vois...

Chapitre 16
Voyage au fond de l'espace

Assis dans mon vaisseau, j'aperçois une station spatiale. Elle est étrange : elle possède deux grands bras ouverts. Je vois qu'elle est jaune clair. Mes amis et moi avons très faim. Malheureusement, nous n'avons plus de spaghetti. On va arrêter voir à la station, nous pouvons trouver une petite cantine.

Aussitôt rendus à la station, j'aperçois un petit restaurant. Il me semble très spécial. Nous nous y rendons un peu méfiants. Un extraterrestre vert globuleux arrive et nous donne le menu. Dans le menu, il y a des langues de lézards et plein d'autres choses bizarres.

Tout à coup, Xavier décide de se rendre aux toilettes. Parce qu'on se retient depuis très, mais très longtemps, on décide d'y aller avec lui. Après avoir traversé le restaurant, on arrive enfin aux toilettes mais . . . il n'y a pas de mur. Il y a quatre trous étranges. Moi et mes amis sommes un peu énervés... et nous avons un peu peur aussi. Enfin, nous sommes plutôt gênés. D'un commun accord, nous décidons de nous retenir encore un peu et nous sortons de cet endroit.

Nous apercevons un grand magasin. On entre. On trouve des

supers belles lunettes de soleil. Elles ont trois trous au lieu de deux. Je les prends pour les essayer. Xavier, Sarah et grand-père rient de bon cœur, pas moi. Elles ne me vont pas du tout, ces lunettes. J'en vois une autre paire. Elles sont très bien ajustées pour moi : deux trous et deux vitres : rien de plus normal. Elles me vont à merveille. Elles sont orangées avec un peu de vert pomme. Elles sont très belles, c'est comme si elles me donnaient des pouvoirs magiques. Mes amis ne rient plus de moi.

Puis, nous découvrons un autre restaurant. Il me semble très normal. C'est encore un extra-terrestre qui nous remet les menus, mais on y trouve de bons plats. Moi, j'aime beaucoup les pâtes. J'hésite entre une pizza et des pâtes. Je ne sais plus quoi prendre . . . Je décide de prendre les deux. Mes amis commandent la même chose que moi. Trente minutes plus tard, notre repas arrive. Ça sent très bon, surtout les pâtes. Après avoir tout mangé, nous passons aux toilettes. Nous sommes heureux d'y trouver des toilettes semblables aux nôtres. Après cette petite promenade, nous retournons dans le vaisseau.

Chapitre 17
Acrylien

On a super bien mangé. En plus, je rapporte un souvenir. Mes amis seront jaloux de mes belles lunettes ! Je remets la machine en marche pour le futur, mais pas trop loin. Sarah, Microbe, grand-papa, Xavier et moi, nous nous installons bien pour le décollage. Durant le voyage, nous nous endormons profondément.

À mon réveil, je vois sur le cadran 1 857 890 ans. Je m'empresse d'arrêter le système du futur. Je sors les autres de leur sommeil pour qu'ils voient la planète qui apparaît devant nous. Mon grand-père regarde sur la carte du ciel et ne trouve pas. Enfin, je vois une pancarte qui indique : «Bienvenue dans la galaxie Zet». Un peu plus loin, une autre pancarte indique :«Adénome à gauche, Yao à droite» et la planète que je cherchais : «Acrylique tout droit». Nous décidons d'aller visiter la planète Acrylique avant de retourner sur la terre.

Après quelques minutes nous arrivons enfin sur la planète. Je ne peux pas m'empêcher de remarquer... que les habitants ont la tête carrée ou ronde. Sans oublier leurs couleurs extravagantes. Xavier et moi faisons le tour de la cité Galileo, pendant que Sarah, grand-papa et Microbe partent chercher un peu d'eau, car il fait chaud. Plus on se promène, moins j'aime cet endroit. Les autres viennent nous rejoindre et nous leur parlons de notre inquiétude.

Tout à coup, Sarah se met en colère et dit : «Je ne repartirai pas d'ici car moi, j'aime cet univers de peinture.» Pendant au moins une demi-heure, nous essayons de faire changer Sarah d'avis. Mais elle ne veut surtout pas céder. Alors, je sens l'impatience me monter à la tête.

Je commence à être en colère et tout à coup «paf» je me mets à crier des bêtises à Sarah! Je lui dis qu'elle peut rester si elle le veut, mais qu'elle restera seule avec ces maudits Acryliens.

Après m'être calmé, Sarah se dirige vers le vaisseau en pleurant. Microbe me regarde, et, dans ses yeux robotisés, j'y vois des éclairs. Mon grand-père vient me voir et me dit tendrement : «Mon garçon, je sais que tu peux aller t'excuser à Sarah et ainsi arranger les choses entre vous.» Xavier lui me fait un clin d'oeil moqueur avant que je parte m'excuser. En arrivant au vaisseau, je me rends compte que Sarah n'est plus là. Je cours vers les autres pour les avertir. Nous la cherchons pendant au moins deux heures. Nous la retrouvons enfin devant les châteaux du roi Aplasie. En fin de compte, Sarah ne faisait qu'un petit tour de la cité.

Je m'adresse délicatement à Sarah et je m'excuse sincèrement. À la fin de mon discours, elle me saute dans les bras et me dit gentiment: <<J'accepte tes excuses! Merci énormément d'être venu!>>

En revenant, nous avons la surprise de notre existence. La machine a disparu. Tout le monde se met à paniquer, même Sarah qui tout à l'heure voulait rester. Tout à coup, je vois une trace d'huile. Je dis à mon chien : <<Microbe! Cherche la machine.>> À la seconde près, Microbe part en courant. Il s'arrête et se met à japper. Nous sommes devant les châteaux du roi Aplasie. J'ai la frousse de ma petite vie.

En me promenant tout à l'heure, j'ai lu que le roi avait une armée vraiment forte et sans pitié. Mon grand-père intervient alors et dit : «On ne va pas se laisser prendre notre vaisseau!» À ces paroles, nous reprenons notre courage à six mains et nous nous rendons voir le roi. En entrant dans le château, nous remarquons plusieurs tableaux et ensuite une énorme porte. Sarah l'ouvre et nous découvrons notre machine et, à côté, le minuscule roi Aplasie.

Xavier lui demande si nous pourrions ravoir notre machine. Le roi nous fait signe que oui mais : «S.V.P ne dites pas cela à mes gardes.» Alors mon chien jappe : «Wouf. Wouf.» Le roi sourit et nous laisse partir. Nous nous dépêchons et embarquons dans la machine afin de repartir vers la terre. Sarah devient alors les yeux pleins d'eau. Je lui dis : «Sarah, ne t'en fais pas, c'est mieux pour nous de repartir.» Elle me regarde et répond : «Je le sais, mais je vais m'ennuyer de cet endroit.» En parlant, je me rends compte que c'est la fin du voyage. Au même moment, mon ami Xavier s'écrie: «Direction, la planète Terre!»

Sur le chemin du retour, nous repassons devant toutes les autres planètes. «Enfin! Voici la Lune!» À ces mots, nous nous retrouvons tous devant la fenêtre et nous contemplons la Terre.

Après trois minutes, nous arrivons sur notre belle planète, épuisés et heureux.

Chapitre 18
Le retour

Deux jours plus tard dans la classe de madame Trousseau...

«Soyez les bienvenus, mes grands! J'espère que vous avez passé de très belles vacances d'été! Qui veut raconter ce qu'il a fait?» Sarah, Xavier et moi, nous nous regardons du coin de l'œil et nous sourions. Eh oui, nous avons eu de superbes vacances, tellement que nous nous demandons souvent si ce n'était qu'un rêve...

Remerciements

Nous tenons à remercier de précieuses personnes sans qui ce projet n'aurait pu fonctionner. Tout d'abord, nous remercions l'orthopédagogue de l'école, Mlle Geneviève Benoît, pour l'aide apportée aux élèves. Ensuite, un merci particulier pour nos chers correcteurs : Mme Suzanne Loranger, Mme Nathalie Duval et Mme Monique Ménard-Laplante. Pour terminer, un gros merci à la maison d'édition «Messagers des Étoiles», qui nous a permis de réaliser ce projet exceptionnel.

Merci à nos auteurs

5e année

Yanéric Bisaillon

Gaël Dupont-Langevin

Christoper Durand

Maxime Ferland

Stéfany Grenier

Antony L'Écuyer

Alexandre Vincent-Vachon

6e année

Marie-Claude Amyot

Marie-Pier Côté

Jessyka Desroches-Lamothe

Pierre-Hugues Dumais

Coralie Fugère

Kathya Gagnon

Roxane Gauthier-Barabé

Samantha Halde-Leblanc

Evens Lemire-Boislard

Mélissa Marchand

Catherine Noël

Dans la collection
de Thomas Hardi

Imprimé au Canada en 2006

Les Éditions « Messagers des Étoiles » inc.
102, Normandin
Saint-Alphonse-de-Granby
QC JOE 2AO

450 372-3729